Recettes, pour

Apéritifs

et Dîners

Romantiques

Marie Lavedroute

Recettes pour Apéritifs et Dîners Romantiques

par MARIE LAVEDROUTE

© COPYRIGHT 2021 TOUS LES DROITS SONT RÉSERVÉS

INTRODUCTION

Alors que nous aimons tous sortir le soir, les soirées rendez-vous peuvent aussi être spéciales. À quand remonte la dernière fois que vous avez organisé un dîner romantique pour votre partenaire ? Au lieu de sortir ces restes moins qu'appétissants du congélateur, vous pouvez pimenter à la fois votre assiette et votre vie amoureuse sans même quitter la maison, et vous préparer l'un pour l'autre votre appétit.

.Dans cet esprit, ce livre partagera un dîner romantique inspirant de 5 plats pour célébrer votre amour spécial, que ce soit le jour de la Saint-Valentin, des dîners d'anniversaire, des dîners d'anniversaire, des dîners de fiançailles. Ou juste parce que !

Pour ceux d'entre nous qui n'ont pas la touche du chef, il peut être intimidant de planifier un repas sans savoir par où commencer. Mais il s'avère que faire cette tartinade extravagante n'est pas aussi difficile qu'il y paraît (et c'est plus facile avec ces recettes géniales mais simples !).

ENTRÉE ROMANTIQUE

1. **Bacon et Huîtres Fumées**

- 2 boîtes d'huîtres fumées

- 1/4 tasse Huile végétale légère

- 1/2 lb de lanières de bacon

- 40 cure-dents ronds en bois

- 3 cuillères à soupe d'ail, émincé

a) Couper les tranches de bacon en trois.

b) Enroulez une tranche de bacon autour de chaque huître et placez-y un cure-dent pour la maintenir en place.

c) Dans une poêle moyenne, chauffer l'huile et ajouter l'ail.

d) Cuire les huîtres enveloppées dans l'huile jusqu'à ce que le bacon soit croustillant.

e) Retirer de la poêle et égoutter sur un essuie-tout pour égoutter.

2. Apéritifs au fromage bleu et aux noix

- 1 tasse de noix

- 1 tasse de fromage bleu émietté

- 1 oeuf battu avec 1 tab d'eau

a) Il suffit de hacher 1 tasse de noix (selon la taille du brie que vous devez couvrir) et de l'incorporer à 1 tasse de fromage bleu émietté. Appuyez sur le dessus du brie et enveloppez soigneusement une feuille de pâte feuilletée décongelée (roulez à la taille requise).

b) Utilisez les doigts mouillés d'eau froide pour sceller le dessous de la pâte. Couper l'excédent pour faire des découpes et coller sur le dessus du brie avec un peu d'eau froide.

c) Badigeonner du mélange d'œufs.

d) Cuire au four sur une plaque à biscuits recouverte de papier sulfurisé dans un four à 375 degrés pendant environ 20 minutes jusqu'à ce qu'ils soient dorés. (Le parchemin facilite le transfert du brie dans le plat de service.) Laissez le brie cuit reposer pendant 20 à 30 min. avant de le couper pour le laisser raffermir un peu.

3. Ailes de bison avec sauce au fromage

- 6 cuillères à soupe de beurre ou de margarine

- 1/4 de tasse Sauce piquante

- Huile végétale pour la friture

- 18 Ailes de poulet, décousues, pointes jetées
  Trempette au fromage bleu :

- 1/4 lb Fromage bleu, Roquefort ou Gorgonzola

- 1/2 tasse de mayonnaise

- 1/2 tasse Crème aigre

- 1 cuillère à soupe de jus de citron
- 1 cuillère à soupe de vinaigre de vin
- Sauce piquante au goût

a) Faire fondre le beurre dans une petite casserole. Ajouter la sauce piquante et retirer du feu.

b) Dans une grande poêle à frire ou une friteuse, chauffer 1" d'huile à 375. Faire frire les ailes par lots sans les entasser jusqu'à ce qu'elles soient dorées, 12 1/2 minutes. Égoutter sur du papier absorbant.

c) Badigeonner les ailes de beurre épicé. Servir chaud avec une trempette au fromage bleu.

d) Pour la trempette au fromage bleu :

e)

f) Dans un petit bol, écraser le fromage bleu en laissant quelques petits grumeaux. Incorporer la mayonnaise jusqu'à homogénéité. Ajouter la crème sure, le jus de citron,

g) vinaigre de vin et sauce au piment fort; fouetter jusqu'à ce que le tout soit bien mélangé.

h) Couvrir et mettre au réfrigérateur jusqu'au moment de servir

4. Bisous de coeur de caviar

- 1 mc de concombre, lavé et paré

- 1/3 c Crème aigre

- 1 cc d'aneth séché

- Poivre noir fraîchement moulu au goût

- 1 Pot de caviar de saumon rouge

- brins d'aneth frais

- 8 De fines tranches de pain de blé entier

- Beurre ou margarine

a) Couper le concombre en rondelles de 1/4 de pouce.

b) Dans un petit bol, mélanger la crème sure, l'aneth séché et le poivre. Placez une cuillère à café du mélange de crème sure sur chaque tranche de concombre. Garnir chacun d'environ 1/2 cuillère à café de caviar et d'un brin d'aneth.

c) Couper des tranches de pain avec un emporte-pièce en forme de cœur. Toasts et beurre. Placer les tranches de concombre au centre de l'assiette de service et les entourer de cœurs de pain grillé.

5. Entrées au cheddar et au brocoli

10 oz de brocoli haché surgelé*

- 8 oz de maïs à grains entiers ; drainé

- 1/4 de tasse Oignon; haché

- 1/2 tasse Noix; hachées grossièrement

- 1/2 tasse Lait

- 1/4 de tasse Beurre; fondu

- 2 Des œufs

- 1/2 tasse Bisquick

- 1/4 cc de sel à l'ail

- 1 tasse Fromage cheddar; déchiqueté

a) Chauffer le four à 375. Graisser un moule de 9x9x2".

b) Mélanger le brocoli, le maïs, l'oignon et les noix. Placer dans poêle.

c) Battre le lait, le beurre, les œufs, le bisquick et le sel d'ail jusqu'à consistance lisse, 15 secondes. dans le mélangeur à puissance élevée, en arrêtant fréquemment le mélangeur pour racler les côtés si nécessaire, ou 1 minute. avec batteur électrique à puissance élevée. Verser uniformément dans le moule.

d) Cuire au four jusqu'à ce qu'un couteau inséré au centre en ressorte propre, 23-25 minutes.; saupoudrer de fromage.

e) Cuire jusqu'à ce que le fromage soit fondu, 2-3 minutes de plus. refroidir 30 minutes. Couper en triangles ou en carrés. Donne 30 entrées.

6. Collations au fromage et à la saucisse

- 1 rouleau de chair à saucisse

- 1 oignon espagnol, haché finement

- 1 lb de fromage cheddar râpé

- 3 c Bisquick

- 3/4 tasse Lait

a) Mélanger la chair à saucisse et l'oignon dans un mélangeur. Ajouter le cheddar, le bisquick et le lait et bien mélanger.

b) Déposer d'une cuillère à café sur une plaque à biscuits graissée Cuire au four à 425 degrés Fahreneheit pendant 10 à 15 minutes ou jusqu'à ce qu'ils soient dorés.

7. Chapeaux de champignons farcis aux palourdes

- 1/2 tasse Beurre

- 2 lb de champignons, 1-1/2" à 2" de diamètre

- 1 tasse Palourdes hachées, avec du liquide

- 1 Gousse d'ail, émincée

- 1/2 tasse Chapelure séchée

- 1/3 c Persil, haché

- 3/4 cc de sel

- 1/4 cc de poivre noir moulu

- Jus de citron

a) Faire fondre le beurre dans une casserole.

b) Retirer et couper les tiges des champignons. Tremper les chapeaux de champignons dans le beurre et les placer, côté arrondi vers le bas, sur une grille sur une plaque à biscuits.

c) Égoutter les palourdes et réserver le liquide.

d) Dans le beurre fondu, faire revenir les tiges de champignons et l'ail. Ajouter le liquide des palourdes et laisser mijoter jusqu'à ce que les tiges des champignons soient tendres. Retirer du feu et incorporer la chapelure, le persil, le sel et le poivre.

e) Répartir le mélange dans les chapeaux de champignons. Faire griller à environ 6" du feu pendant environ 8 minutes, jusqu'à ce que les champignons soient tendres et que le dessus soit légèrement doré. Saupoudrer de quelques gouttes de jus de citron sur chacun et servir chaud.

RDÎNERS OMANTIQUES

8. Poulet à la sauce soyeuse aux amandes

- 16 morceaux de poulet sans peau

- 5 un oignon moyen tranché finement

- 2 cuillères à soupe d'huile végétale

- 6 tb amandes moulues blanchies

- 3 cuillères à soupe de coriandre moulue

- 2 cuillères à soupe de gingembre frais haché
- 2 cc de cardamome moulue
- 1 x cours de sel
- 2 cc de piment rouge moulu
- 1 cumin moulu
- 1/2 cc de fenouil moulu
- 1/2 tasse d'huile végétale
- 2 c yaourt nature
- 1 cc d'eau
- 1 x coriandre fraîche (garniture)

a) Éponger le poulet pour le sécher.

b) Chauffer 2 cuillères à soupe d'huile végétale dans une grande poêle épaisse à feu moyen-élevé.

c) Ajouter le poulet par lots et cuire de tous les côtés jusqu'à ce qu'il ne soit plus rose (ne pas dorer).

d) Retirer à l'aide d'une écumoire et réserver.

e) Chauffer 1/2 tasse d'huile végétale dans une poêle. Ajouter l'oignon émincé et faire frire jusqu'à ce qu'il soit flétri et brun pâle, en remuant constamment, environ 10 minutes.

f) Incorporer les amandes, la coriandre, le gingembre, la cardamome, le sel, le poivron rouge moulu, le cumin et le fenouil et cuire 3 à 5 minutes de plus. Retirer le mélange du feu.

g) Transférer la moitié du mélange dans un robot ou un mélangeur. Réduire en purée avec 1/2 du yaourt et 1/2 de l'eau.

h) Répétez avec le reste du mélange, le yaourt et l'eau.

i) Remettre la sauce dans la poêle.

j) Ajouter le poulet dans la poêle. Placer à feu moyen-vif et porter à ébullition.

k) Réduire le feu, couvrir et laisser mijoter jusqu'à ce que le poulet soit tendre et que la sauce épaississe, environ 45 minutes.

l) Retirer du feu. Laisser reposer à température ambiante pendant environ 30 minutes.

m) Transférer dans un plat de service, garnir de coriandre et servir immédiatement.

9. Steak aux champignons à l'estragon

INGRÉDIENTS

STEAK

- 1 cuillère à café d'huile de canola

- 2 steaks de filet mignon de 1 $\frac{1}{2}$ pouce d'épaisseur, alias gros steaks sexy, 12 à 14 onces au total

- $\frac{1}{2}$ cuillères à café chacune de sel kasher et de poivre fraîchement moulu

- 1 grosse échalote émincée

- $\frac{1}{2}$ cuillère à café de thym frais haché

- 1/4 tasse de vermouth sucré

- 3/4 tasse de bouillon de poulet ou de bœuf à teneur réduite en sodium

- ½ cuillère à café de fécule de maïs ou d'arrow-root

CHAMPIGNONS À L'ESTRAGON

- 2 cuillères à café d'huile d'olive extra vierge

- 2 oignons verts tranchés, parties blanches et vertes séparées

- 4 tasses de champignons mélangés tranchés, sauvages, shiitake et/ou blancs

- ¼ cuillère à café de sel

- ½ cuillères à café d'estragon frais haché

INSTRUCTIONS

PRÉPARER LES STEAK

a) Préchauffer le four à 425 degrés F.

b) Chauffer l'huile de canola dans une poêle moyennement épaisse allant au four. Pendant ce temps, saupoudrer les steaks de sel kasher et de poivre. Lorsque l'huile brille, ajoutez les steaks et faites cuire jusqu'à ce que le fond soit bien doré, environ 5 minutes. Retournez les steaks, insérez un thermomètre à lecture intégré allant au four au centre d'un steak (le cas échéant) et transférez la poêle dans le four. Rôtir jusqu'à ce que les steaks soient à 130 degrés F pendant 8 à 11 minutes. Transférer les steaks dans une assiette et couvrir de papier d'aluminium pour garder au chaud.

c) Placer la poêle à feu moyen-élevé. Soyez prudent, la poignée sera chaude !! Ajouter l'échalote et le thym dans la poêle et cuire en remuant jusqu'à ce que l'échalote soit dorée, environ 30 secondes. Ajouter le vermouth et laisser mijoter jusqu'à ce qu'il soit presque réduit de moitié. Incorporer la fécule de maïs dans le bouillon et ajouter à la poêle. Porter à ébullition en remuant. Cuire jusqu'à ce que légèrement épaissi et réduit à environ $\frac{1}{2}$ tasse. Retirer du feu.

PRÉPARER LES CHAMPIGNONS À L'ESTRAGON.

d) Pendant ce temps, pendant la cuisson des steaks, chauffer l'huile d'olive dans une grande poêle à feu moyen-vif. Ajouter les blancs d'oignons verts, les champignons et le sel, et cuire en remuant de temps en temps jusqu'à ce que les champignons brunissent et que le jus s'évapore, de 6 à 8 minutes. Incorporer les verts d'oignons verts et l'estragon et retirer du feu.

e) Servir les steaks avec la sauce vermouth et les champignons.

10. Bols de saumon teriyaki à la mijoteuse

Ingrédients

- 4 tiges de citronnelle, meurtries et coupées en morceaux de 4 pouces

- 1 bulbe de fenouil (environ 14 oz), tranché

- 4 oignons verts, coupés en deux sur la largeur

- 1/3 tasse d'eau

- 1/3 tasse de vin blanc sec

- 1 (2 lb) filet de saumon avec peau et coupe centrale

- 2 1/2 cuillères à café de sel casher, divisé

- 1 cuillère à café de poivre noir, divisé

- 12 onces de choux de Bruxelles, coupés en quartiers

- 2 cuillères à soupe d'huile d'olive, divisée

- 6 onces de chapeaux de champignons shiitake, tranchés

- 1/2 tasse de jus d'ananas

- 2 cuillères à soupe de sauce soja

- 1 cuillère à soupe de cassonade

- 1 cuillère à café de fécule de maïs

- 1 cuillère à café de graines de sésame

- 3 tasses de riz brun cuit

- 1 tasse de carottes allumettes

- Quartiers de lime, pour servir

a) Pliez un morceau de papier parchemin de 30 x 18 pouces en deux dans le sens de la longueur; pliez à nouveau en deux dans le sens de la largeur (extrémité courte à extrémité courte) pour créer une pièce épaisse de 4 couches. Placer le papier parchemin plié au fond d'une mijoteuse de 6 pintes, en laissant les extrémités s'étendre partiellement sur les côtés.

b) Placer la moitié de la citronnelle, du fenouil et des oignons verts en une couche uniforme sur du papier parchemin dans la mijoteuse. Ajouter l'eau et le vin. Saupoudrer le saumon avec 1 cuillère à café de sel et 1/2 cuillère à café de poivre ; déposer sur le mélange de citronnelle.Garnir le saumon du reste de la citronnelle, des oignons verts et du fenouil. Couvrir et cuire à intensité ÉLEVÉE jusqu'à ce que le saumon se défasse facilement à la fourchette, de 1 à 2 heures. En utilisant une doublure en papier parchemin comme poignées, soulevez le saumon de la mijoteuse, permettant au liquide de s'écouler. Jeter le mélange dans la mijoteuse. Mettre le saumon de côté.

c) Préchauffer le four à 425 °F. Mélanger les choux de Bruxelles avec 1 cuillère à soupe d'huile d'olive, 1 cuillère à café de sel casher et 1/2 cuillère à café de poivre noir sur une plaque à pâtisserie à rebords. Cuire au four préchauffé jusqu'à ce qu'ils soient tendres et croustillants, de 20 à 25 minutes. Chauffer 1 cuillère à soupe d'huile d'olive restante dans une poêle à feu moyen-vif et cuire les champignons et 1/2 cuillère à café de sel kasher restant jusqu'à ce qu'ils soient tendres, de 3 à 4 minutes. Ajouter les champignons sur une plaque à pâtisserie avec les choux de Bruxelles; essuyez la poêle.

d) Cuire le jus d'ananas, la sauce soja, la cassonade et la fécule de maïs dans une poêle à feu moyen, en fouettant constamment, jusqu'à épaississement, environ 3 minutes. Badigeonner 1/4 tasse de sauce sur environ 1 1/4 livre de saumon cuit; saupoudrer de graines de sésame.

e) Placer le saumon sur une plaque à pâtisserie avec les champignons et les choux de Bruxelles; griller à intensité ÉLEVÉE à 6 pouces de la chaleur jusqu'à ce que le glaçage épaississe, environ 2 minutes.

f) Répartir le riz brun dans 4 bols. Garnir uniformément de saumon, de choux de Bruxelles, de champignons et de carottes allumettes. Arroser du reste de la sauce; servir avec des quartiers de lime.

11. Quarts de poulet rôtis à l'érable

INGRÉDIENTS

- 2 cuillères à soupe d'huile d'olive

- 2 gros quartiers de poulet ou 4 cuisses de poulet, épongés et frottés avec du sel (casher de préférence)

- 2 carottes, pelées et coupées en quartiers

- 1 grosse pomme de terre, pelée et coupée en cubes

- 1 petit oignon, tranché

- 6 gousses d'ail, non pelées

- 1 cuillère à café de sel (casher de préférence)

- 2 cuillères à soupe de sirop d'érable pur

- 1 cuillère à soupe de feuilles de thym frais

INSTRUCTIONS

a) Préchauffer le four à 425F/220C. Préparez une petite cocotte ou un moule 8x8.

b) Dans une grande poêle à feu moyen, chauffer 1 cuillère à soupe d'huile. Une fois chaud, ajoutez les morceaux de poulet, côté peau vers le bas, et faites dorer pendant 5 minutes. Retourner et faire dorer l'autre côté pendant 5 minutes.

c) Pendant ce temps, dans un grand bol, ajoutez les carottes, les pommes de terre, l'oignon et l'ail et mélangez avec 1 cuillère à soupe d'huile et le sel restants. Étendre uniformément dans le fond du plat allant au four.

d) Une fois que le poulet a fini de dorer, transférez le poulet pour qu'il repose sur les légumes, côté peau vers le haut. Badigeonner uniformément de sirop d'érable et saupoudrer de thym.

e) Cuire au four pendant 35-45 minutes ou jusqu'à ce que la température interne atteigne 165F/74C. Si le poulet est cuit avant les légumes, retirez le poulet et faites cuire les légumes encore 5 à 10 minutes ou jusqu'à ce qu'ils ramollissent.

12. Rouleaux de steak aux épinards et artichauts

INGRÉDIENTS

- 1 lb de bifteck de flanc

- 1 15,5 onces. peut coeurs d'artichauts, égouttés et hachés

- 2 ch. bébés épinards, hachés

- 2 gousses d'ail, hachées

- 1 ch. ricotta

- 1/2 c. Cheddar blanc râpé

- sel casher

- Poivre noir fraîchement moulu

DIRECTIONS

a) Préchauffer le four à 350°. Sur une planche à découper, un steak de papillon pour en faire un long rectangle qui repose à plat.

b) Dans un bol moyen, mélanger les artichauts, les épinards, l'ail, la ricotta et le cheddar et assaisonner généreusement de sel et de poivre.

c) Tartiner le steak de trempette épinards-artichauts. Rouler fermement le steak, puis le couper en rondelles et cuire au four jusqu'à ce que le steak soit cuit jusqu'à la cuisson désirée, de 23 à 25 minutes pour une cuisson moyenne. Servir avec des légumes verts habillés.

13. Pâtes aux aubergines, burrata et menthe

Ingrédients

- 1/4 tasse d'huile d'olive extra vierge

- 1 cuillère à soupe de piment rouge broyé

- 2 gousses d'ail, tranchées finement

- 1 grosse aubergine, coupée en cubes de 1 pouce (environ 2 tasses)

- 1 livre de pâtes rigatoni, ziti ou orecchiette non cuites

- 8 onces de Burrata ou de mozzarella frais

- 1/2 tasse de menthe fraîche déchirée, et plus pour servir

- 1 cuillère à café de zeste de citron, plus 1 c. jus de citron frais (à partir de 1 citron)

a) Chauffer l'huile dans une grande poêle à feu moyen. Ajouter le poivron rouge broyé et l'ail; cuire jusqu'à ce qu'il soit parfumé, environ 2 minutes. Ajouter les aubergines et cuire, en remuant de temps en temps, jusqu'à ce qu'elles soient dorées, environ 20 minutes.

b) Pendant ce temps, cuire les pâtes dans de l'eau bouillante salée selon les instructions sur l'emballage pour qu'elles soient al dente. Égoutter les pâtes en réservant 1 tasse d'eau de cuisson. Placer les pâtes cuites dans un bol de service; ajouter le mélange d'aubergines. Ajouter lentement l'eau de cuisson réservée, en remuant pour enrober. Déchirez la Burrata fraîche en morceaux au-dessus du bol (pour récupérer la crème du fromage) et ajoutez la menthe fraîche déchirée, le zeste de citron et le jus de citron. Mélanger pour combiner. Ajouter du sel au goût, si désiré. Garnir les portions avec de la menthe supplémentaire.

14. Boulettes de viande braisées et purée de pommes de terre

Ingrédients

Pour les boulettes de viande

- 1 livre de boeuf haché

- 1 livre de porc haché

- 2 gros oeufs

- ½ tasse de chapelure nature

- ½ tasse de parmesan râpé

- 1 cuillère à café de sel

- ½ cuillère à café de poivre noir

- ½ cuillère à café de flocons de piment rouge broyés

- ¼ tasse de persil frais haché

- 1 cuillère à soupe d'origan frais haché

- 2 gousses d'ail hachées

- 3 cuillères à soupe d'huile d'olive

Pour la sauce

- 1 échalote moyenne émincée

- 2 gousses d'ail hachées

- 3 cuillères à soupe de farine

- 2 tasses de bouillon de poulet ou de boeuf

- ½ cuillère à café de sel

- ½ cuillère à café de poivre noir

- 2 cuillères à café de sauce Worcestershire

- Pour la purée de pommes de terre à l'ail rôti

- 4 grosses pommes de terre au four pelées et coupées en dés

- 5 cuillères à soupe de beurre non salé

- $\frac{1}{4}$ tasse de babeurre

- 1 cuillère à café de sel

- $\frac{3}{4}$ cuillère à café de poivre noir

- $\frac{1}{2}$ tasse de parmesan râpé

- 8 gousses d'ail pelées

- 1 cuillère à soupe d'huile d'olive

Pour le chou frisé rôti

- 4 tasses de chou frisé frais haché

- 2 cuillères à soupe d'huile d'olive

- $\frac{1}{2}$ cuillère à café de sel

- $\frac{1}{2}$ cuillère à café de poivre noir

- $\frac{1}{2}$ cuillère à café de flocons de piment rouge broyés

Instructions

a) Préchauffer le four à 375 °F.

b) Pour faire les boulettes de viande, dans un grand bol, mélanger la viande hachée, les œufs, la chapelure, le parmesan, le sel, le poivre, les flocons de piment rouge, le persil, l'origan et l'ail. Remuez avec vos mains jusqu'à ce que le tout soit homogène. Façonner la viande en petites boules de la taille d'une balle de golf (mais un peu plus petites). Chauffer une grande casserole résistanteà feu moyen-élevé. Ajouter l'huile d'olive et saisir les boulettes de viande par lots. Cuire environ 3 à 4 minutes sur le premier côté, ou jusqu'à ce qu'il soit croustillant et doré, puis retourner et cuire encore 2 à 3 minutes. Transférer dans une assiette et continuer à cuire le reste des boulettes de viande.

c) Une fois qu'ils ont tous été cuits, retirez tout sauf 1 cuillère à soupe d'huile d'olive de la casserole. Ajouter l'échalote et l'ail et faire sauter pendant environ 5 minutes ou jusqu'à ce qu'ils soient tendres. Incorporer la farine et cuire une minute. Incorporer lentement, en fouettant constamment, le bouillon de poulet jusqu'à ce que le roux soit complètement dissous. Baisser le feu et cuire jusqu'à ce qu'il soit bouillonnant et épais. Assaisonner avec du sel, du poivre et de la sauce Worcestershire. Baissez le feu aussi bas que possible et remettez les boulettes de viande dans la casserole, en les nichant dans la sauce.

Laisser mijoter environ 15 à 20 minutes, semi-couvert avec un couvercle.

d) Pour faire les pommes de terre, enveloppez les gousses d'ail dans du papier d'aluminium avec l'huile d'olive et une pincée de sel et de poivre noir. Cuire au four environ 20 à 25 minutes. Placer les pommes de terre dans une casserole moyenne et couvrir d'eau froide. Porter à ébullition et cuire environ 15 à 20 minutes ou jusqu'à ce qu'elles soient tendres à la fourchette. Égoutter et remettre dans la casserole. Ajouter le beurre, le babeurre,sel, poivre, ail rôti et parmesan. Écraser jusqu'à consistance lisse. Garder au chaud sur la cuisinière à feu doux.

e) Pour faire le chou frisé, placez-le sur une plaque à pâtisserie et mélangez-le avec de l'huile d'olive, du sel, du poivre et des flocons de piment rouge. Étaler sur une couche uniforme et rôtir pendant environ 10 à 15 minutes ou jusqu'à ce qu'il soit noir et croustillant.

f) Pour servir, déposer les pommes de terre dans les assiettes et garnir de chou frisé rôti. Placer quelques boulettes de viande sur le chou frisé et napper de sauce. Garnir de persil frais haché sur le dessus. Prendre plaisir!

15. Pâtes au poulet de fiançailles

Ingrédients

- 6 onces de spaghettis séchés

- 4 cuillères à soupe de beurre non salé

- 10 brins de thym frais

- 10 onces de champignons tranchés

- poivre noir fraichement moulu

- sel

- 2 petites poitrines de poulet

- 2 cuillères à café d'huile d'olive

- 1/2 tasse de vin blanc sec

- 4 onces de fromage à la crème, ramolli

Instructions

a) Portez à ébullition une grande casserole d'eau salée et faites cuire les nouilles spaghetti.

b) Pendant ce temps, dans une grande poêle antiadhésive, faire fondre le beurre et le thym à feu moyen.

c) Ajouter les champignons tranchés dans la poêle et remuer pour les enrober de beurre. Laissez-les cuire quelques minutes sans les déranger pour qu'une belle croûte se forme. Remuer et répéter jusqu'à ce que les champignons soient dorés. Cela prendra environ 15 minutes.

d) À l'aide d'une écumoire, retirer les champignons de la poêle en laissant le beurre et le thym dans la poêle. Ajouter l'huile dans la poêle.

e) Saler et poivrer les deux côtés des poitrines de poulet.

f) Augmenter le feu à moyen-vif et saisir les poitrines de poulet des deux côtés dans la même poêle que les champignons. Encore une fois, laisser cuire sans déranger pour qu'une belle croûte se forme. Si le poulet colle à la poêle, c'est parce que le premier côté n'est pas cuit. Il sortira quand il sera doré.

g) Retirer le poulet de la poêle et couvrir pour garder au chaud.

h) Baisser le feu à doux et ajouter tout le vin

i) Laissez le vin cuire légèrement tout en raclant le fond de la casserole avec une cuillère en bois pour obtenir tous les morceaux bruns dans le vin.

j) Coupez le fromage à la crème en dés et placez-le dans un grand bol.

k) Jetez les brins de thym de la poêle, puis versez le vin chaud sur le fromage à la crème et remuez jusqu'à ce qu'il fonde. Il peut y avoir quelques petits morceaux, mais les pâtes chaudes les dissoudront.

l) Lorsque les pâtes sont cuites, égouttez-les et versez-les immédiatement sur le mélange vin-fromage à la crème. Lancerfaire fondre les nouilles et répartir uniformément la sauce au fromage à la crème.

m) Incorporer les champignons dans le bol de pâtes.

n) Trancher le poulet et servir sur le dessus.

16. Surf et turf pour deux

INGRÉDIENTS

sert 2

Pour les steaks et l'assaisonnement :

- 2 steaks de filet mignon de 8oz, coupés à 2" d'épaisseur

- 3/4 cuillère à soupe de sel gemme

- 1-1/2 cuillères à café de grains de poivre noir

- 1/2 cuillère à café d'ail émincé séché

- 1/2 cuillère à café d'oignon émincé séché

- grosse pincée de graines de fenouil

- petite pincée de flocons de piment rouge

- arroser d'huile d'olive extra vierge

- 2 cuillères à soupe de beurre

Pour la sauce à la poêle :

- 1 cuillère à soupe d'échalote émincée

- 1 gousse d'ail, écrasée et épluchée

- 1 branche de romarin frais

- 1/2 tasse de vin rouge, type cabernet

- 1 tasse de bouillon de boeuf faible en sodium

- 1 cuillère à soupe de beurre

- Pour les pétoncles :

- 1 cuillère à soupe de beurre

- 1 cuillère à soupe d'huile d'olive extra vierge

- 6 grosses coquilles Saint-Jacques

- sel et poivre

DIRECTIONS

a) Placer le steak sur une assiette sur le comptoir pour le réchauffer pendant environ 30 minutes avant de commencer la cuisson. Préchauffer le four à 400 degrés.

b) Pour les steaks : Ajoutez du sel gemme, des grains de poivre, de l'ail séché, de l'oignon séché, du fenouil et des flocons de piment rouge dans un mortier et un pilon, puis écrasez grossièrement les assaisonnements. Alternativement, vous pouvez utiliser un moulin à épices ou utiliser votre sauce à steak préférée achetée en magasin à la place. Arroser le dessus des steaks d'huile d'olive extra vierge, puis saupoudrer généreusement d'épices à frotter et frotter sur les steaks. Répétez de l'autre côté.

c) Chauffer une grande poêle en fonte ou à fond épais allant au four à feu moyen-vif jusqu'à ce qu'elle soit très chaude, puis ajouter le beurre. Une fois fondu, ajouter les steaks puis saisir jusqu'à ce qu'une croûte dorée se forme au fond, 2 minutes. Retournez les steaks, puis placez toute la poêle dans le four et rôtissez pendant 10 minutes pour une cuisson moyenne (ajustez le temps de rôtissage vers le haut ou vers le bas en fonction de l'épaisseur de vos steaks - les nôtres avaient une épaisseur de 2 ".) Retirez les steaks dans une assiette pour vous reposer pendant que vous préparez le reste du plat.

d) Pour la sauce à la poêle : remettre la poêle chaude sur feu moyen-vif, puis ajouter les échalotes et faire revenir 30 secondes. Ajouter le romarin, l'ail et le vin puis laisser mijoter jusqu'à ce que le vin soit réduit de moitié. Ajouter le bouillon de boeuf puis laisser mijoter jusqu'à ce que la sauce épaississe et réduise, 7-9 minutes. Ajouter le beurre, goûter puis saler et poivrer si besoin, puis réserver.

e) Pour les pétoncles : éponger les pétoncles très secs entre des couches de papier absorbant puis assaisonner de sel et de poivre des deux côtés. Faire fondre le beurre et l'huile d'olive extra vierge dans une grande poêle à feu moyen-vif, puis ajouter les pétoncles et saisir pendant 90 secondes. Retourner puis saisir pendant 90 secondes supplémentaires.

f) Dresser les steaks et les pétoncles sur deux assiettes, puis arroser les steaks de sauce à la poêle et servir.

17. Casserole de nouilles au homard

INGRÉDIENTS

- 2 homards frais

- 3 cuillères à soupe. sel

- 1/2 c. sel

- 3 cuillères à soupe. beurre

- 1 échalote

- 1 cuillère à soupe. pâte de tomate

- 3 gousses d'ail

- 1/4 c. Brandy

- 1/2 c. crème épaisse

- à thé poivre noir fraîchement moulu

- 1/2 lb de nouilles aux œufs

- 1 cuillère à soupe. jus de citron frais

- 6 brins de thym

DIRECTIONS

a) Cuire les homards :

b) Remplir un grand bol à moitié avec de la glace et de l'eau et réserver. Portez à ébullition une grande casserole d'eau et 3 cuillères à soupe de sel et plongez les homards, tête la première, dans l'eau avec une pince à long manche. Réduire le feu à doux et cuire à couvert pendant 4 minutes. Égoutter les homards et les placer dans le bain de glace préparé pour les refroidir. Casser les coquilles et retirer la queue et la chair des pinces. Réservez les coquilles. Couper la chair de la queue en médaillons de 1/2 pouce d'épaisseur et la chair des pinces en gros morceaux et réserver.

c) Cuire les cocottes :

d) Préchauffer le four à 350 °F. Enduire légèrement quatre plats de cuisson d'une capacité de 1 tasse ou un plat de cuisson rond de 9 poucesplat avec 1 cuillère à soupe de beurre et réserver. Faire fondre le reste du beurre dans une poêle moyenne à feu moyen. Ajouter l'échalote et cuire jusqu'à ce qu'elle soit tendre. Ajouter les coquilles réservées, la pâte de tomate et l'ail et cuire, en remuant continuellement, pendant 5 minutes. Retirez la casserole du feu et ajoutez le cognac. Remettre sur le feu et porter le mélange à ébullition sans cesser de fouetter. Réduire le feu à moyen-doux, ajouter 1 1/2 tasse d'eau et laisser mijoter jusqu'à épaississement légèrement - environ 15 minutes. Filtrer le mélange et incorporer la crème, le reste du sel et du poivre. Ajouter les nouilles aux œufs, la chair de homard et le jus de citron et mélanger pour enrober. Répartir le mélange uniformément dans les plats préparés, couvrir de papier d'aluminium et cuire jusqu'à ce que le homard soit bien cuit et que les nouilles soient chaudes - environ 20 minutes. Décorez de brins de thym et servez aussitôt.

18. Risotto au poulet et petits pois

Ingrédients

- 1 cuillère à soupe d'huile d'olive

- $\frac{1}{4}$ tasse d'oignon haché

- 1 gousse d'ail, émincée

- $\frac{1}{2}$ tasse de riz arborio non cuit

- 2 $\frac{1}{4}$ tasses de bouillon de poulet ou de légumes

- $\frac{1}{2}$ tasse de petits pois surgelés ou de taille normale en vrac

- 2 cuillères à soupe de carottes grossièrement râpées

- ⅔ tasse de poulet cuit râpé

- 1 tasse d'épinards frais, râpés

- 2 cuillères à soupe de parmesan râpé (1 once)

- 1 cuillère à café de thym frais ciselé

a) Dans une grande casserole faire chauffer l'huile à feu moyen. Ajouter l'oignon et l'ail; cuire jusqu'à ce que l'oignon soit tendre. Ajouter le riz non cuit. Cuire en remuant environ 5 minutes ou jusqu'à ce que le riz soit doré.

b) Pendant ce temps, dans une casserole moyenne, porter le bouillon à ébullition; réduire le feu pour que le bouillon mijote. Ajouter délicatement 1/2 tasse de bouillon au mélange de riz, en remuant constamment. Continuez à cuire et remuez à feu moyen jusqu'à ce que le liquide soit absorbé. Ajouter une autre 1/2 tasse de bouillon au mélange de riz, en remuant constamment. Continuez à cuire et remuez jusqu'à ce que le liquide soit absorbé. Ajouter encore 1/2 tasse de bouillon, 1/4 tasse à la fois, en remuant constamment jusqu'à ce que le bouillon soit absorbé. (Cela devrait prendre 18 à 20 minutes au total.)

c) Incorporer le reste du bouillon, les pois et la carotte. Cuire en remuant jusqu'à ce que le riz soit légèrement ferme (al dente) et crémeux.

d) Incorporer le poulet, les épinards, le parmesan et le thym; chauffer à travers. Sers immédiatement.

19. Agneau en croûte de moutarde

INGRÉDIENTS

- 1 rôti de côte d'agneau de Nouvelle-Zélande (carré d'agneau), 8 côtes levées

- sel et poivre

- 3 cuillères à soupe. Moutarde de Dijon aux graines

- 2 cuillères à soupe. feuilles de menthe fraîche ou de basilic ciselées

- 4 cuillères à soupe. échalotes hachées

- 1/4 c. panko (miettes de pain japonais)

- 3 petites pommes de terre rouges

- 2 cuillères à soupe. l'eau

- 1/2 botte de brocoli rabe

- 1 c. huile d'olive

- 3 cuillères à soupe. crème sure allégée

a) Préchauffer le four à 425 degrés. Placer l'agneau, côté viande vers le haut, dans une petite rôtissoire. Saupoudrer l'agneau de 1/4 cuillère à café de sel et de poivre noir fraîchement moulu. Dans un petit bol, mélanger la moutarde, la menthe et 2 cuillères à soupe d'échalotes. Réserver 2 cuillères à soupe de mélange de moutarde pour la sauce; étaler le reste sur l'agneau. Tapoter sur le panko pour enrober.

b) Rôtir l'agneau au four de 25 à 30 minutes pour une cuisson mi-saignante (140 degrés au thermomètre à viande) ou jusqu'à la cuisson désirée.

c) Pendant ce temps, faire chauffer une casserole de 4 pintes d'eau à ébullition à feu vif. Dans un bol moyen allant au micro-ondes, mélanger les pommes de terre et 2 cuillères à soupe d'eau froide. Couvrir d'une pellicule de plastique ventilée et cuire au micro-ondes à puissance élevée pendant 4 minutes ou jusqu'à ce qu'elles soient tendres à la fourchette. Drainer; mélanger avec 1/8 cuillère à café de sel et de poivre noir fraîchement moulu. Garder au chaud.

d) Ajouter le brocoli rabe à l'eau bouillante dans une casserole et cuire 3 minutes. Bien égoutter; essuyer la poêle. Dans la même casserole, chauffer l'huile et les 2 cuillères à soupe d'échalotes restantes à feu moyen-vif; ajouter le brocoli rabe et cuire 2 minutes en remuant fréquemment. Mélanger avec 1/8 cuillère à café de sel et de poivre noir fraîchement moulu. Garder au chaud.

e) Incorporer la crème sure au mélange de moutarde réservé. Coupez l'agneau en portions de 2 côtes et placez-le sur 2 assiettes avec des pommes de terre et du brocoli rabe. Servir l'agneau avec la sauce à la crème sure.

20. Pizza proscuitto et roquette

INGRÉDIENTS

- 1 livre de pâte à pizza, à température ambiante, divisée en 2 morceaux égaux

- 2 cuillères à soupe d'huile d'olive

- 1/2 tasse de sauce tomate

- 1 1/2 tasse de fromage mozzarella râpé (6 onces)

- 8 tranches fines de prosciutto

- Quelques grosses poignées de roquette

INSTRUCTIONS

a) Si vous avez une pierre à pizza, placez-la sur une grille au milieu du four. Chauffer le four à 550 °F (ou à la température maximale du four) pendant au moins 30 minutes.

b) Si vous transférez la pizza sur une pierre dans le four, assemblez-la sur une peau ou une planche à découper bien farinée. Sinon, assemblez sur la surface sur laquelle vous allez cuisiner (papier sulfurisé, plaque à pâtisserie, etc.). En travaillant avec un morceau de pâte à la fois, roulez-le ou étirez-le en un cercle de 10 à 12 pouces. Badigeonner les bords de la pâte avec 1 cuillère à soupe d'huile d'olive. Étaler la moitié de la sauce tomate sur le reste de la pâte. Saupoudrer d'environ 1/4 du fromage. Disposez 4 tranches de prosciutto pour qu'elles recouvrent uniformément la pâte. Saupoudrer d'un autre 1/4 du fromage.

c) Cuire la pizza jusqu'à ce que les bords soient légèrement dorés et que le fromage bouillonne et soit doré par endroits, environ 6 minutes à 550°F. Retirer du four sur une planche à découper, répartir la moitié de la roquette sur le dessus, couper et servir immédiatement. Répétez avec le reste de la pâte et des garnitures.

21. Paella au poulet, crevettes et chorizo

Ingrédients

- ½ cuillère à café de fils de safran, écrasés

- 2 cuillères à soupe d'huile d'olive

- 1 livre de cuisses de poulet sans peau et désossées, coupées en morceaux de 2 pouces

- 4 onces de chorizo de style espagnol cuit et fumé, tranché

- 1 oignon moyen, haché

- 4 gousses d'ail, hachées

- 1 tasse de tomates râpées grossièrement (environ 1 livre)*

- 1 cuillère à soupe de paprika doux fumé

- 6 tasses de bouillon de poulet à teneur réduite en sodium

- 2 tasses de riz espagnol à grains courts, comme bomba, calasparra ou Valencia

- 12 grosses crevettes, décortiquées et déveinées

- 8 onces de pois surgelés, décongelés

- Olives vertes hachées (facultatif)

- Persil italien haché

a) Dans un petit bol, mélanger le safran et 1/4 tasse d'eau chaude; laisser reposer 10 minutes.

b) Pendant ce temps, dans une poêle à paella de 15 pouces, chauffer l'huile à feu moyen-vif. Ajouter le poulet à la poêle. Cuire, en retournant de temps en temps, jusqu'à ce que le poulet soit doré, environ 5 minutes. Ajouter le chorizo. Cuire 1 minute de plus. Transférer le tout dans une assiette. Ajouter l'oignon et l'ail dans la poêle. Cuire et remuer 2 minutes. Ajouter les tomates et le paprika. Cuire en remuant 5 minutes de plus ou jusqu'à ce que les tomates soient épaissies et presque pâteuses.

c) Remettre le poulet et le chorizo dans la poêle. Ajouter le bouillon de poulet, le mélange de safran et 1/2 c. sel; porter à ébullition à feu vif. Ajouter le riz dans la casserole, en remuant une fois pour bien répartir. Cuire, sans remuer, jusqu'à ce que le riz ait absorbé la majeure partie du liquide, environ 12 minutes. (Si votre casserole est plus grande que votre brûleur, tournez-la toutes les quelques minutes pour vous assurer que le riz cuit uniformément.) Réduisez le feu à doux. Cuire, sans remuer, 5 à 10 minutes de plus jusqu'à ce que tout le liquide soit absorbé et que le riz soit al dente. Garnir de crevettes et de petits pois. Tournez à feu élevé. Cuire sans remuer, 1 à 2 minutes de plus (les bords doivent sembler secs et une croûte doit se former au fond). Supprimer. Couvrir le plat de papier d'aluminium. Laisser reposer 10 minutes avant de servir. Garnir d'olives, si désiré, et de persil.

22. Agneau à l'Estragon

- gigot d'agneau de 4 lb

- 1 cc d'estragon

- 1 cuillère à soupe d'huile

- 1 oignon émincé

- 1 1/4 c de vin blanc sec

- 1 x sel et poivre au goût

- 2/3 c de crème

a) Pelez le gigot d'agneau et enlevez tout le gras extérieur.

b) Entaillez profondément la chair en quadrillage et farcissez les entailles avec l'estragon. Frotter la viande avec l'huile et couvrir avec l'oignon.

c) Placer dans un plat adapté à la marinade et verser le vin blanc dessus.

d) Saler et poivrer au goût et laisser mariner environ 2 heures en arrosant de temps en temps.

e) Rôtir l'agneau avec la marinade, à 325 degrés F. jusqu'à ce qu'il soit cuit; arroser fréquemment.

f) Dix minutes avant la fin de la cuisson de la viande, versez la marinade et le jus de viande dans une casserole.

g) Réduisez la sauce à la moitié de sa quantité d'origine en la faisant bouillir vigoureusement.

h) Couper la viande en fines tranches et ajouter le jus de la viande à la marinade.

i) Disposer la viande sur un plat de service et réserver au chaud.

Retirer la sauce du feu, incorporer la crème et réchauffer lentement jusqu'à ce qu'elle forme une consistance moyennement épaisse. Verser la sauce sur l'agneau et réserver au chaud jusqu'au moment de servir.

23. Riz Espagnol au Boeuf

- 1 lb de boeuf haché maigre
- 1/2 tasse d'oignon ; Haché, 1 Md
- 1 tasse de riz ; Régulier, non cuit
- 2/3 c de poivron vert ; Haché
- 16 oz de tomates étuvées ; 1 Cn
- 5 tranches de bacon ; Croustillant,Émiette
- 2 c L'eau
- 1 cc de poudre de chili

- 1/2 cc d'origan

- 1 1/4 cc de sel

- 1/8 cc de poivre

a) Cuire et remuer la viande et l'oignon dans une grande poêle jusqu'à ce que la viande soit brune. Égoutter l'excès de graisse.

b) Incorporer le riz, le poivron vert, les tomates, le bacon, l'eau, la poudre de chili, l'origan, le sel et le poivre.

c) Pour cuisiner dans une poêle :

d) Chauffer le mélange à ébullition puis réduire le feu et laisser mijoter, à couvert, en remuant de temps en temps, jusqu'à ce que le riz soit tendre, environ 30 minutes. (Une petite quantité d'eau peut être ajoutée si nécessaire.)

e) Pour cuisiner au four :

f) Verser le mélange dans une casserole de 2 pintes non graissée.

g) Couvrir et cuire au four à 375 degrés F, en remuant de temps en temps, jusqu'à ce que le riz soit tendre, environ 45 minutes.

h) Servir chaud.

24. Poulet au parmesan

- 1/2 tasse de chapelure fine et sèche

- 1/4 de tasse Fromage parmesan râpé

- 4 poitrines de poulet, désossées

- 1 œuf battu
- 3 cuillères à soupe de beurre
- 1 un 8 oz. peut sauce tomate
- 1/2 tasse L'eau
- 1/4 cc d'origan entier séché 1 c de fromage mozzarella râpé

a) Mélanger la chapelure et le parmesan.

b) Tremper le poulet dans l'œuf et bien enrober.

c) Préchauffer la poêle à 350 degrés.

d) Ajouter le beurre et cuire le poulet environ 3 minutes de chaque côté.

e) Mélanger la sauce tomate, l'eau et l'origan; verser sur le poulet.

f) Réduire le feu à 220 degrés, couvrir et cuire 25-30 minutes.

g) Saupoudrer de fromage mozzerella; couvrir et cuire jusqu'à ce que le fromage fonde.

25. Steaks de saumon sauce au vin blanc

- 8 oz (2) steaks de saumon *
- 2 cc d'huile de cuisson Sauce au vin blanc :
- 1 cuillère à soupe de beurre ou de margarine
- 1 cc de fécule de maïs
- 1 fois Pincée de Poivre Blanc

- 1/2 tasse Demi Demi Crème Légère

- 1   ea Lge. Jaune d'oeuf battu

- 2   vin blanc sec

- 1 fois Raisins verts sans pépins (Opt.)

a) Préchauffer un plat à brunir pour micro-ondes de 6 1/2 pouces à 100 % de puissance pendant 3 minutes. Ajouter l'huile de cuisson dans le plat à brunir; agiter pour enrober le plat.

b) Placer les darnes de saumon dans le plat à brunir. Micro-ondes, couvert, allumé

c) 100% de puissance pendant environ 30 secondes. Retourner les darnes de saumon et

d) micro-ondes, couvert, à 50 % de puissance environ 3 minutes ou jusqu'à ce que le saumon se défasse facilement lorsqu'on le teste avec une fourchette.

e) Laisser reposer les darnes de saumon, couvertes, pendant la préparation de la sauce au vin.

f) Pour la sauce au vin : Dans une mesure de 4 tasses au micro-ondes, le beurre ou la margarine, à découvert, à 100 % de puissance pendant 45 secondes à 1 minute ou jusqu'à ce qu'ils soient fondus. Incorporer la fécule de maïs et le poivre blanc. Incorporer la crème légère.

g) Cuire au micro-ondes, à découvert, à 100 % de puissance pendant 2 à 3 minutes ou jusqu'à ce que le mélange épaississe et bouillonne, en remuant toutes les minutes.

h) Incorporer la moitié du mélange de crème chaude au jaune d'œuf battu.

i) Remettez le tout à la mesure de 4 tasses. Cuire au micro-ondes, à découvert, à puissance 50 % pendant 1 minute, en remuant toutes les 15 secondes jusqu'à ce que le mélange soit lisse. Incorporer le vin blanc sec.

j) Transférer les darnes de saumon dans un plat de service et verser la sauce au vin sur le dessus. Garnir de raisins verts sans pépins, si désiré.

26. Fettuccine à la crème, basilic et romano

- 4 tranches de bacon ; haché épais
- 4 ch Oignons verts; haché
- 1/2 tasse de crème fouettée
- 1/2 tasse de parmesan ; fraîchement râpé
- 1/3 tasse de basilic ; frais haché
- 1/2 lb de fettucine
- 1 x sel et poivre

- 1 parmesan ; fraîchement râpé

a) Cuire le bacon dans une poêle moyenne épaisse à feu moyen jusqu'à ce qu'il commence à dorer. Ajouter les oignons verts et remuer jusqu'à ce qu'ils ramollissent, environ 1 minute. Ajouter la crème et laisser mijoter jusqu'à ce qu'elle commence à épaissir, environ 1 minute. Mélanger le parmesan et le basilic.

b) Pendant ce temps, cuire les fettuccines dans une grande casserole d'eau bouillante salée jusqu'à ce qu'elles soient juste tendres mais encore ferme à la morsure (al dente), en remuant de temps en temps. Bien égoutter.

c) Remettre dans la marmite. Ajouter la sauce et remuer pour enrober. Assaisonnez avec du sel et du poivre.

d) Sers immédiatement; passer le parmesan râpé.

27. Pilons de poulet croustillants

- 8 x Pilons de poulet, sans peau *

- 1 1/2 tasse Chapelure

- 1/4 de tasse Fromage Parmesan râpé

- 2 à soupe de persil frais haché

- 1/4 cc d'ail en poudre

- Sel et poivre au goût

- 1/3 c Lait écrémé

a) Rincer le poulet à l'eau froide et sécher.

b) Mélanger la chapelure, le parmesan, le persil, la poudre d'ail, le sel et le poivre; bien mélanger.

c) Tremper les pilons dans le lait écrémé puis les draguer dans le mélange de chapelure en les enrobant bien.

d) Placer les pilons dans un plat allant au four de 10 x 6 x 2 pouces vaporisé de Pam.

e) Cuire au four à 350 degrés F. pendant 1 heure.

28. Steaks de saumon avec sauce au concombre et à l'aneth

- 2 pièces steaks de saumon

- 1/4 c de vin blanc sec

- 1 une feuille de laurier

- 2 à soupe d'aneth frais

- 1 branche de céleri, coupé en morceaux Sauce au concombre et à l'aneth :

- 1/4 c Yaourt nature allégé

- 1/4 tasse de mayonnaise allégée
- 1 cc de concombre râpé et épépiné
- 1 ch Petit oignon, pelé râpé
- 1/8 cc de moutarde sèche
- 1/4 c d'aneth fraîchement haché
- Sel et poivre au goût

a) Placer les steaks dans un plat allant au micro-ondes avec une extrémité épaisse vers l'extérieur. Mélanger le vin blanc, la feuille de laurier, l'aneth et le céleri; étendre le mélange uniformément sur les darnes de saumon.

b) Couvrir et cuire au micro-ondes à puissance élevée pendant 4 à 6 minutes.

c) Servir avec une sauce concombre-aneth.

d) Pour la sauce concombre-aneth :

e) Mélanger le yogourt, la mayonnaise, le concombre, l'oignon, la moutarde, l'aneth, le sel et le poivre dans un robot culinaire et bien mélanger.

f) Verser dans un bol de service; réfrigérer 1 à 2 heures avant de servir.

29. Salade de tacos à la dinde

- 3 ch tortillas à la farine*

- 1/2 lb de dinde hachée

- 1/3 c l'eau

- 1 cc de poudre de chili

- 1/2 cc de sel

- 1/4 cc d'ail en poudre
- 1/4 cc de poivre de cayenne
- 8 onces de haricots rouges, égouttés
- 5 c laitue râpée
- 1 tomate moyenne, hachée
- 1/2 tasse fromage Monterey Jack râpé
- 1/4 de tasse oignon, haché
- 1/4 de tasse Vinaigrette des Mille-Îles
- 1/4 de tasse crème sure (garniture)
- 4 olives mûres dénoyautées, tranchées (garniture)

a) Préchauffer le four à 400 degrés F.

b) Couper les tortillas en 12 pointes ou en lanières de 3 x 1/4 po et les placer dans un moule à gelée non graissé de 15 1/2 x 10 1/2 x 1 po.

c) Cuire au four 6 à 8 minutes, en remuant au moins une fois, jusqu'à ce qu'ils soient dorés et croustillants; frais.

d) Cuire la dinde hachée dans une poêle antiadhésive, en remuant fréquemment, jusqu'à ce qu'elle soit dorée. Incorporer l'eau, la poudre de chili, le sel, la poudre d'ail, le poivron rouge,

e) et les haricots rouges. Chauffer à ébullition; baisser la température. Laisser mijoter à découvert 2 à 3 minutes, en remuant de temps en temps, jusqu'à ce que le liquide soit absorbé.

f) Refroidir 10 minutes.

g) Mélanger la laitue, la tomate, le fromage, l'oignon dans un grand bol; mélanger avec le

h) vinaigrette Mille-Îles; répartir entre 4 assiettes plates. Garnir chaque salade d'environ 1/2 tasse de mélange de dinde.

i) Disposer les pointes de tortilla autour de la salade et garnir de crème sure et d'olives.

30. **Poule de Cornouailles avec Farce Kasha**

Catégories : Plat principal, Volaille

- 2   ea poules de gibier Rock Cornish
- 1/2 un citron
- Sel et poivre
- 4 tranches de bacon 3/4 tasse vin rouge Farce Kasha :
- 1 tasse gruau de sarrasin
- 1   un œuf (légèrement battu)
- 2   c eau bouillante
- 3   ea lanières de bacon (coupées en morceaux)
- 4   beurre de cb
- 1 oignon moyen (haché)
- 1 gousse d'ail (hachée)
- 1/2 ea poivron vert (haché)
- 1/4 lb de champignons (hachés)
- 1 cc d'origan
- 1/2 cc de sauge
- Sel et poivre au goût

a) Frotter les oiseaux à l'intérieur et à l'extérieur avec du citron et bien saupoudrer de sel et de poivre fraîchement moulu.

b) Préchauffer le four (450 degrés F.).

c) Remplissez les cavités avec la farce Kasha. Fermer l'ouverture avec des brochettes.

d) Placer les oiseaux, poitrine vers le haut, sur une grille dans une rôtissoire ouverte et couvrir les poitrines de bacon. Refroidir pendant 15 minutes.

e) Réduire le feu à 325 degrés F. et ajouter le vin rouge. Rôtir 35 à 40 minutes, en arrosant souvent (comme toutes les 15 minutes, si possible) ; ajouter plus de vin si nécessaire.

f) Pour la farce Kasha :

g) Mélanger les gruaux avec l'œuf battu; ajouter à la poêle à feu vif. Remuer constamment jusqu'à ce que les grains se séparent, puis ajouter l'eau bouillante.

h) Couvrir la poêle, baisser le feu et laisser mijoter 30 minutes.

i) Pendant ce temps, faites revenir le bacon dans une autre grande poêle.

j) Lorsque le bacon est légèrement doré, poussez d'un côté et ajoutez le beurre.

k) Laisser grésiller et ajouter l'oignon, l'ail, le poivron vert et les champignons; remuer constamment.

l) Ajouter l'origan, la sauge, le sel et le poivre. Baisser le feu et ajouter les gruaux cuits. Bien mélanger, rectifier l'assaisonnement et retirer du feu.

m) Kasha est souvent appelé gruau de sarrasin. Il est fabriqué à partir de grains de sarrasin puis torréfié, ce qui lui donne une délicieuse saveur de noix.

n) En plus d'être une farce savoureuse pour la volaille, cette recette constitue un excellent plat d'accompagnement à la place du riz, des pommes de terre ou des nouilles.

RSALADES OMANTIQUES

31. Salade Romance dans un Bol

Ingrédient

- 4 tasses de jeunes pousses de salade
- 1 carotte, pelée et tranchée
- 2 oignons verts, hachés
- 6 fraises, équeutées et tranchées
- 12 framboises fraîches
- 1 cuillère à café d'ail émincé
- $\frac{1}{4}$ tasse de noix hachées
- $\frac{1}{4}$ tasse de tranches d'amandes assaisonnées
- $\frac{1}{4}$ tasse de groseilles séchées
- $\frac{1}{4}$ tasse de fromage feta émietté
- $\frac{1}{2}$ tasse de croûtons assaisonnés
- $\frac{1}{2}$ tasse de vinaigrette aux herbes, ou au goût

a) Dans un grand bol, mélanger les salades, les carottes, les oignons verts, les fraises, les framboises, l'ail, les noix, les tranches d'amandes, les groseilles et le fromage feta. Répartir entre deux saladiers. Garnir chaque bol de croûtons et servir avec une vinaigrette.

32. Salade Rose

Ingrédients

salade

- 4 carottes entières, j'ai utilisé du violet

- 1/3 oignon rouge moyen, émincé

- 1 grosse betterave

- 1 pamplemousse rose, en quartiers

- 1 poignée de pistaches grossièrement hachées

Vinaigrette

- 1/2 tasse d'huile d'olive
- 1/4 tasse de vinaigre de vin de riz
- 1 cc de moutarde
- 1 cuillère à café de sirop d'érable
- 1-2 gousses d'ail, hachées
- sel et poivre au goût

Instructions

a) Coupez vos betteraves en quartiers moyens et placez-les dans un récipient micro-ondable, couvrir et micro-ondes jusqu'à tendreté. Le mien a pris 6 1/2 minutes. Je choisis de ne pas éplucher le mien car la peau ne me dérange pas mais fais ce que tu veux.

b) À l'aide d'un éplucheur de carottes, retirez de longues lanières de chaque carotte jusqu'à ce que vous atteigniez le cœur et que vous ne puissiez plus raser. Conservez les noyaux pour les grignoter plus tard.

c) Dans un grand bol, placez tous les ingrédients de votre salade sauf les pistaches.

d) Dans un autre bol, mettre tous les ingrédients de la vinaigrette et fouetter jusqu'à émulsion.

e) Lorsque vous êtes prêt à servir la salade, mélangez avec suffisamment de vinaigrette pour enrober et réservez le reste pour la salade de demain. Notez que si vous préparez la salade et que vous l'apprêtez à l'avance, les betteraves « saigneront » partout dans la salade et elle finira par devenir rouge monochrome.

f) Saupoudrez de pistaches et le tour est joué.

33. Salade mixte verte printanière

- 2 OZ. Verts mélangés
- 3 cuillères à soupe. Pignons de pin grillés
- 2 cuillères à soupe. Vinaigrette aux framboises 5 minutes
- 2 cuillères à soupe. Parmesan râpé
- 2 tranches de bacon
- Sel et poivre au goût

1. Cuire le bacon jusqu'à ce qu'il soit très croustillant. J'ai laissé le mien brûler légèrement sur les bords pour donner à la salade un léger ajout en notes amères dans certaines bouchées.
2. Mesurez vos verts et placez-les dans un récipient qui peut être secoué.

3.Crumble bacon, puis ajouter le reste des ingrédients aux verts. Secouez le récipient avec un couvercle pour répartir uniformément le pansement et le contenu.
4.Servez et savourez !

Salade de tofu croustillant et bok choy

Tofu au four
- 15 onces Tofu extra ferme
- 1 cuillère à soupe. Sauce soja
- 1 cuillère à soupe. Huile de sésame
- 1 cuillère à soupe. L'eau
- 2 c. Ail haché
- 1 cuillère à soupe. Vinaigre de Riz
- Jus 1/2 Citron

Salade de bok choy
- 9 onces Bok Choy
- 1 tige d'oignon vert

- 2 cuillères à soupe. Coriandre, hachée
- 3 cuillères à soupe. Huile de noix de coco
- 2 cuillères à soupe. Sauce soja
- 1 cuillère à soupe. Sambal Olek
- 1 cuillère à soupe. Beurre d'arachide
- Jus 1/2 citron vert
- 7 gouttes de Stevia liquide

1. Commencez par presser le tofu. Déposez le tofu dans un torchon et mettez quelque chose de lourd dessus (comme une poêle en fonte). Il faut environ 4 à 6 heures pour sécher et vous devrez peut-être remplacer le torchon à mi-chemin.

2. Une fois le tofu pressé, travaillez votre marinade. Mélanger tous les ingrédients de la marinade (sauce soja, huile de sésame, eau, ail, vinaigre et citron).

3. Coupez le tofu en carrés et placez-le dans un sac en plastique avec la marinade. Laissez mariner pendant au moins 30 minutes, mais de préférence toute la nuit.

4. Préchauffer le four à 350F. Placer le tofu sur une plaque à pâtisserie recouverte de papier parchemin (ou un silpat) et cuire au four pendant 30-35 minutes.

5. Pendant que le tofu est cuit, commencez la salade de bok choy. Hacher la coriandre et l'oignon de printemps.

6. Mélanger tous les autres ingrédients ensemble (sauf le jus de lime et le bok choy) dans un bol. Ajouter ensuite la coriandre et la ciboule.

Remarque : vous pouvez faire fondre l'huile de noix de coco au micro-ondes pendant 10 à 15 secondes.

7. Une fois que le tofu est presque cuit, ajoutez le jus de citron vert dans la vinaigrette et mélangez.

8. Coupez le bok choy en petites tranches, comme vous le feriez avec du chou.

9. Sortez le tofu du four et assemblez votre salade avec du tofu, du bokchoy et de la sauce.

34. Salade de porc au barbecue

La salade

- 10 oz. Porc effiloché
- 2 tasses de laitue romaine
- 1/4 tasse de coriandre, hachée
- 1/4 de poivron rouge moyen, haché

La sauce

- 2 cuillères à soupe. Pâte De Tomate
- 2 cuillères à soupe. + 2 c. Sauce de soja (ou aminos de noix de coco)
- 1 cuillère à soupe. Beurre De Cacahuète Crémeux

- 2 cuillères à soupe. Coriandre, hachée
- Jus & Zeste de 1/2 Citron Vert
- 1 c. Cinq épices
- 1 c. Pâte de curry rouge
- 1 cuillère à soupe. + 1 c. Vinaigre de Riz
- 1/4 c. Flocons de piment rouge
- 1 c. Sauce de poisson/10 gouttes Stevia liquide ET 1/2 c. Extrait de Mangue

1. Dans un bol, mélanger tous les ingrédients de la sauce (sauf la coriandre et le zeste de lime).
2. Hacher la coriandre et zester un citron vert et ajouter à la sauce.
3. Bien mélanger la sauce BBQ thaï, puis réserver. À l'aide de vos doigts ou d'un couteau, séparez le porc. Assembler la salade et napper le porc d'un peu de sauce.

35. Salade d'épinards au poivron rouge

- 6 tasses d'épinards
- 1/4 tasse de vinaigrette ranch
- 3 cuillères à soupe. Parmesan
- 1 c. Flocons de piment rouge

1. Dans un grand bol à mélanger, mesurer 6 tasses d'épinards.

2. Ajouter 1/4 tasse de vinaigrette Ranch et la mélanger aux épinards. Ensuite, ajoutez 3 cuillères à soupe. Fromage Parmesan et 1 c. Flocons de piment rouge. Bien mélanger à nouveau

36. Salade d'épinards aux pacanes

- 2 livres d'épinards frais
- Sel ou Végé-Sal
- 10 oignons verts, tranchés finement, dont environ 2 pouces de pousses vertes
- 1/4 tasse d'huile d'olive extra vierge
- 1/4 tasse de jus de citron
- 1/4 livre de pacanes grillées et salées, hachées

1. Lavez et séchez les épinards jusqu'à ce que vous soyez absolument sûr qu'ils sont propres : les épinards peuvent contenir beaucoup de grains ! Lorsque vous êtes sûr qu'il est propre et sec, mettez-le dans un saladier et

saupoudrez-le d'un peu de sel-peut-être une cuillère à café-etpressez doucement les feuilles avec votre mains. Vous constaterez que les épinards « se dégonflent » ou deviennent en quelque sorte un peu mous et diminuent de volume. Ajouter les échalotes dans le bol.

2. Verser l'huile d'olive et bien mélanger la salade. Ajouter le jus de citron et mélanger à nouveau. Garnir de pacanes et servir.

37. Salade de mise à jour

salade
- 2 poivrons verts moyens, coupés en petites lanières
- 1 gros bouquet de persil, haché
- 2/3 tasse de radicchio déchiré
- 2/3 tasse d'endives frisées hachées
- 2/3 tasse de frisé haché
- 3 tomates, chacune coupée en 8 quartiers dans le sens de la longueur
- 1/8 d'un gros oignon rouge doux, tranché finement
- 2 cuillères à soupe d'olives noires hachées

Pansement
- 1/4 tasse d'eau
- 1/2 tasse de vinaigre d'estragon

- 1/2 cuillère à café de sel ou Végé-Sal
- 1 1/2 cuillères à soupe de jus de citron
- 1 cuillère à soupe de Splenda
- 1/8 cuillère à café de mélasse noire

1. Mettez les poivrons, le persil, le radicchio, les endives, les frisées, les tomates, l'oignon et les olives dans un grand bol et réservez.

2. Dans un bol séparé, mélanger l'eau, le vinaigre, le sel, le jus de citron, le Splenda et la mélasse. Versez le tout sur la salade et mélangez.

3. Mettez le tout au réfrigérateur et laissez-le reposer pendant quelques heures, en remuant de temps en temps si vous y pensez.

38. Salade Californienne

- 4 tasses de laitue romaine déchirée
- 4 tasses de laitue frisée rouge déchirée
- 1 avocat noir mûr
- 3 cuillères à soupe d'huile d'olive extra vierge
- 2 cuillères à soupe de jus de citron
- Sel et poivre
- 1/2 tasse de germes de luzerne

1. Mélanger la laitue romaine et la laitue frisée rouge dans un saladier, puis éplucher l'avocat et le couper en petits morceaux. (Il est plus simple de retirer les morceaux avec une cuillère.) Ajoutez l'avocat dans le bol.

2. Mélanger d'abord la salade avec l'huile, puis le jus de citron, puis enfin avec du sel et du poivre au goût. Garnir de pousses et servir.

39. **Salade de melon et prosciutto**

- 1/2 cantaloup mûr
- 1/2 rose mûre
- 8 onces de prosciutto

1. Épépinez et épluchez les melons et coupez-les en morceaux de 1 pouce (ou utilisez une écope à melons).
2. Hachez le prosciutto, mélangez le tout et servez.

Gorkensalad

- 4 concombres pelés, tranchés finement
- 1 1/2 cuillères à soupe de sel
- 1/4 tasse d'eau
- 3 cuillères à soupe de vinaigre de cidre
- 3 cuillères à soupe d'huile
- 2 cuillères à soupe de Splenda
- Poivre

1. Épluchez et coupez les concombres. Mettez-les dans un grand bol et saupoudrez de sel dessus. Incorporer le sel dans les concombres, couvrir et réfrigérer toute la nuit.

2. Une heure environ avant de servir, sortez les concombres du réfrigérateur et en extrayez l'eau en utilisant vos mains et en travaillant par petites quantités. leles tranches passeront de rigides et opaques à molles et presque translucides. Jetez l'eau obtenue.
3. Mélangez l'eau, le vinaigre, l'huile et le Splenda, salez et poivrez au goût. C'est la "dressing" - elle doit être légère, acidulée et juste légèrement sucrée. Versez-le sur les concombres et mélangez-les. Réfrigérer jusqu'au moment de servir.

40. Salade de haricots colorée

- 1 boîte (14 1/2 onces) de haricots verts coupés
- 1 boîte (14 1/2 onces) de haricots de cire coupés
- 1/2 tasse d'oignon rouge doux haché
- 3/4 tasse de Splenda
- 1 cuillère à café de sel
- 1/2 cuillère à café de poivre
- 1/2 tasse d'huile de canola
- 2/3 tasse de vinaigre de cidre

1. Égoutter les haricots verts et les haricots verts et les mélanger dans un bol avec l'oignon.
2. Dans un bol séparé, mélanger le Splenda, le sel, le poivre, l'huile et le vinaigre ; verser le mélange sur les légumes.
3. Laissez mariner pendant plusieurs heures au moins ; la nuit ne fera pas de mal. Égoutter la marinade et servir.

41. Salade de chou pour deux

- 1 tête de chou rouge
- 1 petite carotte, râpée
- 1/4 oignon rouge doux, finement émincé
- Vinaigrette à la salade de chou

1. À l'aide de la lame d'un robot culinaire ou d'un couteau bien aiguisé, râpez votre chou et mettez-le dans un grand bol.

2. Ajouter la carotte et l'oignon et mélanger avec la vinaigrette. Admirez et profitez.

42. Confettis UnSlaw

- 2 tasses de chou vert râpé
- 2 tasses de chou rouge râpé
- 1/2 poivron rouge doux, haché
- 1/2 poivron vert, haché
- 4 oignons verts, tranchés, y compris la partie croustillante de la verdure
- Carrat râpé 1/3 CU P
- 1 petite côte de céleri, tranché finement
- 2 cuillères à soupe de persil frais haché

Mélanger

43. Salade Caponata

- 1/4 tasse d'huile d'olive
- aubergine moyenne, pelée et coupée en dés de 1/4 po
- petit oignon rouge, haché
- côte de céleri, hachée
- 2 gousses d'ail, hachées
- 2 tasses de tomates italiennes en conserve fraîches ou égouttées, hachées
- 2 cuillères à soupe de câpres
- 3 cuillères à soupe de vinaigre de vin rouge
- 2 cuillères à café de sucre

- 1 cuillère à soupe de basilic frais émincé ou 1 cuillère à café séché
- 1/2 cuillère à café de sel

Dans une grande casserole, chauffer l'huile à feu moyen. Ajouter l'aubergine, l'oignon, le céleri et l'ail. Couvrir et cuire jusqu'à ce que les légumes soient tendres, environ 15 minutes. Ajouter les tomates, couvrir et cuire 5 minutes de plus. Incorporer les câpres, le vinaigre, le sucre, le basilic et le sel et laisser mijoter à découvert pendant 5 minutes pour permettre aux saveurs de se développer.

Retirer du feu et laisser refroidir légèrement, puis transférer dans un grand bol et réfrigérer jusqu'à refroidissement, environ 2 heures. Goûter, rectifier l'assaisonnement si besoin. Servir frais ou à température ambiante.

44. Salade De Haricots Verts Et De Poires

- 1/4 tasse d'huile de sésame grillé
- 3 cuillères à soupe de vinaigre de riz
- 2 cuillères à soupe de beurre d'amande
- 2 cuillères à soupe de sauce soja
- 1 cuillère à soupe de nectar d'agave
- 1 cuillère à café de gingembre frais râpé
- 1/8 cuillère à café de poivre de Cayenne moulu
- 8 onces de haricots verts, parés et coupés en morceaux de 1 pouce
- 1 cup4 tasse d'oignon rouge émincé
- 2 poires mûres, épépinées et coupées en dés de 1/2 po
- 1/4 tasse de raisins secs dorés
- 4 à 6 tasses de salade verte mélangée

Dans un mélangeur ou un robot culinaire, mélanger l'huile, le vinaigre, le beurre d'amande, la sauce soja, le nectar d'agave, le gingembre et le poivre de Cayenne. Processus à mélanger. Mettre de côté.

Dans une casserole d'eau bouillante, plonger les haricots verts et la carotte et cuire jusqu'à ce qu'ils soient tendres et croquants, environ 5 minutes. Égoutter et transférer dans un grand bol. Ajouter l'oignon, les poires, les amandes et les raisins secs. Ajouter la vinaigrette et mélanger délicatement pour combiner. Tapisser un plat de service ou des assiettes individuelles avec la salade verte, verser le mélange de salade sur le dessus et servir.

45. Salade de canneberges et de carottes

- 1 livre de carottes, râpées
- 1 tasse de canneberges séchées sucrées
- 1/2 tasse de morceaux de noix grillés
- 2 cuillères à soupe de jus de citron frais
- 3 cuillères à soupe d'huile de noix grillée
- 1/2 cuillère à café de sucre
- 1/4 cuillère à café de sel
- 1/8 cuillère à café de poivre noir fraîchement moulu

Dans un grand bol, mélanger les carottes, les canneberges et les noix. Mettre de côté.

Dans un petit bol, mélanger le jus de citron, l'huile de noix, le sucre, le sel et le poivre. Verser la vinaigrette sur la salade, mélanger délicatement pour combiner et servir.

46. Salade Fenouil-Orange Aux Olives Noires

- 1 bulbe de fenouil moyen, coupé en tranches de 1/4 po
- 2 oranges, pelées, coupées en quartiers et coupées en tranches de 1/4 po
- 1/4 tasse d'olives kalamata, dénoyautées et coupées en deux
- 2 cuillères à soupe de persil frais haché
- 2 cuillères à soupe d'huile d'olive
- 1 cuillère à soupe de jus de citron
- 1/2 cuillère à café de sucre
- Sel et poivre noir fraîchement moulu
- 4 grandes ou 8 petites feuilles de laitue Boston
- 1/4 tasse de pignons de pin grillés

Dans un grand bol, mélanger le fenouil, les oranges, les olives et le persil. Mettre de côté.

Dans un petit bol, mélanger l'huile, le jus de citron, le sucre, le sel et le poivre au goût. Verser la vinaigrette sur la salade et mélanger délicatement pour combiner.

Disposer une couche de feuilles de laitue sur un plat de service ou des assiettes individuelles. Versez la salade sur la laitue, saupoudrez de pignons de pin et servez.

47. Salade De Betteraves Jaunes Aux Poires

- 3 à 4 betteraves jaunes moyennes
- 2 cuillères à soupe de vinaigre balsamique blanc
- 3 cuillères à soupe de mayonnaise végétalienne, maison (voir Mayonnaise végétalienne) ou du commerce
- 3 cuillères à soupe de crème sure végétalienne, maison (voir Tofu Sour Cream) ou du commerce
- 1 cuillère à soupe de lait de soja
- 11/2 cuillères à soupe d'aneth frais émincé
- 1 cuillère à soupe d'échalote hachée
- 1/2 cuillère à café de sel
- 1/8 cuillère à café de poivre noir fraîchement moulu
- 2 poires Bosc mûres
- Jus de 1 citron
- 1 petite laitue frisée rouge, déchirée en bouchées

Cuire les betteraves à la vapeur jusqu'à ce qu'elles soient tendres, puis les refroidir et les éplucher. Coupez les betteraves en allumettes et placez-les dans un bol peu profond. Ajouter le vinaigre et mélanger pour enrober. Mettre de côté.

Dans un petit bol, mélanger la mayonnaise, la crème sure, le lait de soja, l'aneth, l'échalote, le sel et le poivre. Mettre de côté.

Évidez les poires et coupez-les en dés de 1/4 de pouce. Placer les poires dans un bol moyen, ajouter le jus de citron et mélanger délicatement pour combiner. Répartir la laitue dans 4 assiettes à salade et déposer les poires et les betteraves dessus. Verser la vinaigrette sur la salade, saupoudrer de pacanes et servir.

48. Salade d'endives et d'oranges

- 2 têtes moyennes d'endive belge, feuilles séparées
- 2 oranges navel, pelées, coupées en deux et coupées en tranches de 1/4 de pouce
- 2 cuillères à soupe d'oignon rouge émincé
- 3 cuillères à soupe d'huile d'olive
- 11/2 cuillères à soupe de vinaigre balsamique infusé aux figues
- Sel et poivre noir fraîchement moulu
- 1 cuillère à soupe de graines de grenade fraîches (facultatif)

Dans un grand bol, mélanger les endives, les oranges, les pacanes et l'oignon. Mettre de côté.

Dans un petit bol, mélanger l'huile, le vinaigre, le sucre, le sel et le poivre au goût. Remuer jusqu'à homogénéité. Versez levinaigrette sur la salade et mélanger délicatement pour combiner. Saupoudrer de graines de grenade, si vous en utilisez, et servir.

CONCLUSION

Avant d'entrer dans les détails des recettes et des saveurs de ce livre, il est important de planifier le repas. Vous voudrez préparer le terrain pour votre dîner romantique en vous assurant que vous serez seuls. Si vous avez des enfants, c'est le moment de faire appel à cette faveur de garde d'enfants.

C'est aussi une bonne idée d'établir quelques règles de base : essayez d'accepter une soirée sans technologie, ce qui peut signifier éteindre la télévision ou mettre vos téléphones hors de vue. La planification peut sembler forcée, mais c'est un excellent moyen de protéger votre relation de l'énorme quantité de « vie » qui vous attend constamment.

Une fois que vous avez confirmé la date de votre soirée romantique, il est temps de planifier le menu. Soyez conscient que vos ingrédients frais sont de saison, ce qui peut affecter la facilité avec laquelle vous pourrez vous procurer les éléments nécessaires sur votre liste. D'autres choses à considérer incluent les préférences et les restrictions alimentaires de votre compagnon de dîner, comme quelqu'un qui préfère un régime à base de plantes ou qui a une allergie aux noix.

Il ne vous reste plus qu'à allumer la musique, à savourer votre repas et à vous prélasser en compagnie des uns et des autres, si vous êtes en s'amusant, une nuit romantique à la maison bat à chaque fois un restaurant.

Lightning Source UK Ltd.
Milton Keynes UK
UKHW020901110621
385327UK00007B/92

9 781802 885835